JN253726

雪わたり

宮沢賢治 原作　方緒良 絵

雪渡り　その一　(小狐の紺三郎)

雪がすっかり凍って大理石よりも堅くなり、空も冷たい滑らかな青い石の板で出来ているらしいのです。

「堅雪かんこ、凍み雪しんこ。」

お日様がまっ白に燃えて百合の匂を撒きちらし又雪をぎらぎら照らしました。

木なんかみんなザラメをかけたように霜でぴかぴかしています。

「堅雪かんこ、凍み雪しんこ。」

四郎とかん子とは小さな雪沓をはいてキックキックキック、野原に出ました。

こんな面白い日が、またとあるでしょうか。いつもは歩けない黍の畑の中でも、すすきで一杯だった野原の上でも、すきな方へどこまででも行けるのです。平らなことはまるで一枚の板です。そしてそれが沢山の小さな小さな鏡のようにキラキラキラキラ光るのです。

「堅雪かんこ、凍み雪しんこ。」

　二人は森の近くまで来ました。大きな柏の木は枝も埋まるくらい立派な透きとおった氷柱をさげて重そうにからだを曲げておりました。
「堅雪かんこ、凍み雪しんこ。狐の子ぁ、嫁ぃほしい、ほしい。」と二人は森へ向いて高く叫びました。
　しばらくしいんとしましたので二人はもう一度叫ぼうとして息をのみこんだとき森の中から
「凍み雪しんしん、堅雪かんかん。」と言いながら、キシリキシリ雪をふんで白い狐の子が出て来ました。

四郎は少しぎょっとしてかん子をうしろにかばって、しっかり足をふんばって叫びました。
「狐こんこん白狐、お嫁ほしけりゃ、とってやろよ。」
するとと狐がまだまるで小さいくせに銀の針のようなおひげを
ピンと一つひねって言いました。
「四郎はしんこ、かん子はかんこ、おらはお嫁はいらないよ。」
四郎が笑って言いました。
「狐こんこん、狐の子、お嫁がいらなきゃ餅やろか。」
すると狐の子も頭を二つ三つ振って面白そうに言いました。
「四郎はしんこ、かん子はかんこ、黍の団子をおれやろか。」
かん子もあんまり面白いので四郎のうしろにかくれたままそっと歌いました。
「狐こんこん狐の子、狐の団子は兎のくそ。」
すると小狐紺三郎が笑って言いました。
「いいえ、決してそんなことはありません。あなた方のような立派なお方が
兎の茶色の団子なんか召しあがるもんですか。
私らは全体今まで人をだますなんてあんまりむじつの罪をきせられていたのです。」

四郎がおどろいて尋ねました。

「そいじゃ狐が人をだますなんてうそかしら。」

紺三郎が熱心に言いました。

「うそですとも。けだし最もひどいうそです。だまされたという人は
大抵お酒に酔ったり、臆病でくるくるしたりした人です。面白いですよ。
甚兵衛さんがこの前、月夜の晩私たちのおうちの前に坐って
一晩じょうるりをやりましたよ。私らはみんな出て見たのです。」

四郎が叫びました。

「甚兵衛さんならじょうるりじゃないや。きっと浪花ぶしだぜ。」

子狐紺三郎はなるほどという顔をして、

「ええ、そうかもしれません。とにかくお団子をおあがりなさい。
私のさしあげるのは、ちゃんと私が畑を作って播いて
草をとって刈って叩いて粉にして練ってむしてお砂糖をかけたのです。
いかがですか。一皿さしあげましょう。」

と言いました。

と四郎が笑って、

「紺三郎さん、僕らはちょうど今ね、お餅を食べて来たんだから
おなかが減らないんだよ。この次におよばれしようか。」

　子狐の紺三郎が嬉しがってみじかい腕をばたばたして言いました。

「そうですか。そんなら今度幻燈会のときさしあげましょう。幻燈会には
きっといらっしゃい。この次の雪の凍った月夜の晩です。八時からはじめますから、
入場券をあげておきましょう。何枚あげましょうか。」

「そんなら五枚おくれ。」と四郎が言いました。

「五枚ですか。あなた方が二枚にあとの三枚はどなたですか。」と紺三郎が言いました。

「兄さんたちだ。」と四郎が答えますと、

「兄さんたちは十一歳以下ですか。」と紺三郎が又尋ねました。

「いや小兄さんは四年生だからね、八つの四つで十二歳。」と四郎が言いました。

　すると紺三郎は尤もらしく又おひげを一つひねって言いました。

「それでは残念ですが兄さんたちはお断わりです。あなた方だけいらっしゃい。
特別席をとっておきますから、面白いんですよ。幻燈は第一が『お酒をのむべからず。』
これはあなたの村の太右衛門さんと、清作さんが
お酒をのんでとうとう目がくらんで野原にあるへんてこなおまんじゅうや、
おそばを食べようとした所です。私も写真の中にうつっています。
第二が『わなに注意せよ。』これは私共のこん兵衛が野原でわなにかかったのを
かいたのです。絵です。写真ではありません。
第三が『火を軽べつすべからず。』これは私共のこん助があなたのおうちへ行って
しっぽを焼いた景色です。ぜひおいで下さい。」

　二人はよろこんでうなずきました。

狐はおかしそうに口を曲げて、
キックキックトントンキックキックトントンと
足ぶみをはじめてしっぽと頭を振って
しばらく考えていましたが
やっと思いついたらしく、両手を振って調子を
とりながら歌いはじめました。

「凍み雪しんこ、堅雪かんこ、
野原のまんじゅうはポッポッポ。
酔ってひょろひょろ太右衛門が、
去年、三十八、食べた。
凍み雪しんこ、堅雪かんこ、
野原のおそばはホッホッホ。
酔ってひょろひょろ清作が、
去年十三ばい食べた。」

四郎もかん子もすっかり釣り込まれて
もう狐と一緒に踊っています。

キック、キック、トントン。
キック、キック、トントン。
キック、キック、キック、キック、トントントン。

四郎が歌いました。
「狐こんこん狐の子、去年狐のこん兵衛が、
左の足をわなに入れ、
こんこんばたばたこんこんこん。」

かん子が歌いました。
「狐こんこん狐の子、去年狐のこん助が、
焼いた魚を取ろとして
おしりに火がつききゃんきゃんきゃん。」

キック、キック、トントン。
キック、キック、トントン。
キック、キック、キック、キックトントントン。

そして三人は踊りながらだんだん林の中にはいって行きました。赤い封蝋細工のほほの木の芽が、風に吹かれてピッカリピッカリと光り、林の中の雪には藍色の木の影がいちめん網になって落ちて日光のあたる所には銀の百合が咲いたように見えました。

すると子狐紺三郎が言いました。

「鹿の子もよびましょうか。鹿の子はそりゃ笛がうまいんですよ。」

四郎とかん子とは手を叩いてよろこびました。そこで三人は一緒に叫びました。

「堅雪かんこ、凍み雪しんこ、
鹿の子ぁ嫁ぃほしいほしい。」

すると向うで、

「北風ぴいぴい風三郎、西風どうどう又三郎」と細いいい声がしました。

狐の子の紺三郎がいかにもばかにしたように、口を尖らして言いました。

「あれは鹿の子です。あいつは臆病ですからとてもこっちへ来そうにありません。けれどもう一遍叫んでみましょうか。」

そこで三人は又叫びました。

「堅雪かんこ、凍み雪しんこ、
鹿の子ぁ嫁ぃほしい、ほしい。」

すると今度はずうっと遠くで風の音か笛の声か、又は鹿の子の歌かこんなように聞こえました。

「北風ぴいぴい、かんこかんこ
　　　西風どうどう、どっこどっこ。」

狐は又ひげをひねって言いました。

「雪が柔らかになるといけませんからもうお帰りなさい。今度月夜に雪が凍ったらきっとおいで下さい。さっきの幻燈をやりますから。」

そこで四郎とかん子とは

「堅雪かんこ、凍み雪しんこ。」と歌いながら銀の雪を渡っておうちへ帰りました。

「堅雪かんこ、凍み雪しんこ。」

雪渡り　その二　（狐小学校の幻燈会）

　青白い大きな十五夜のお月様が
静かに氷の上山から登りました。
　雪はチカチカ青く光り、
そして今日も寒水石のように堅く凍りました。

四郎は狐の紺三郎との約束を思い出して妹のかん子にそっと言いました。
「今夜狐の幻燈会なんだね。行こうか。」
すると かん子は、
「行きましょう。行きましょう。狐こんこん狐の子、こんこん狐の紺三郎。」と
はねあがって高く叫んでしまいました。
すると二番目の兄さんの二郎が
「お前たちは狐のとこへ遊びに行くのかい。僕も行きたいな。」と言いました。
四郎は困ってしまって肩をすくめて言いました。
「大兄さん。だって、狐の幻燈会は十一歳までですよ、入場券に書いてあるんだもの。」
二郎が言いました。
「どれ、ちょっとお見せ、ははあ、学校生徒の父兄にあらずして十二歳以上の来賓は
入場をお断わり申し候、狐なんて仲々うまくやってるね。僕は行けないんだね。
仕方ないや。お前たち行くんならお餅を持って行っておやりよ。そら、この鏡餅がいいだろう。」
四郎とかん子はそこで小さな雪沓をはいてお餅をかついで外に出ました。
兄弟の一郎二郎三郎は戸口に並んで立って、
「行っておいで。大人の狐にあったら急いで目をつぶるんだよ。そら僕ら囃してやろうか。
堅雪かんこ、凍み雪しんこ、狐の子ぁ嫁ぃほしいほしい。」と叫びました。

　お月様は空に高く登り森は青白いけむりに包まれています。
二人はもうその森の入口に来ました。

　すると胸にどんぐりのきしょうをつけた白い小さな狐の子が立っていて言いました。
「今晩は。お早うございます。入場券はお持ちですか。」
「持っています。」二人はそれを出しました。
「さあ、どうぞあちらへ。」狐の子が尤もらしくからだを曲げて眼をパチパチしながら林の奥を手で教えました。

　林の中には月の光が青い棒を何本も斜めに投げ込んだように射しておりました。
その中のあき地に二人は来ました。

見るともう狐の学校生徒が沢山集まって栗の皮をぶっつけ合ったりすもうをとったり殊におかしいのは小さな小さな鼠くらいの狐の子が大きな子供の狐の肩車に乗ってお星様を取ろうとしているのです。

みんなの前の木の枝に白い一枚の敷布がさがっていました。

不意にうしろで

「今晩は、よくおいででした。先日は失礼いたしました。」という声がしますので四郎とかん子とはびっくりして振り向いて見ると紺三郎です。

紺三郎なんかまるで立派な燕尾服を着て水仙の花を胸につけてまっ白なはんけちでしきりにその尖ったお口を拭いているのです。

四郎はちょっとお辞儀をして言いました。

「この間は失敬。それから今晩はありがとう。このお餅をみなさんであがって下さい。」

狐の学校生徒はみんなこっちを見ています。

紺三郎は胸を一杯に張ってすまして餅を受けとりました。

「これはどうもおみやげをいただいてすみません。どうかごゆるりとなすって下さい。

もうすぐ幻燈もはじまります。私はちょっと失礼いたします。」

紺三郎はお餅を持って向うへ行きました。

狐の学校生徒は声をそろえて叫びました。

「堅雪かんこ、凍み雪しんこ、硬いお餅はかったらこ、白いお餅はべったらこ。」

幕の横に、
「寄贈、お餅沢山、人の四郎氏、人のかん子氏」と大きな札が出ました。
狐の生徒はよろこんで手をパチパチ叩きました。
そのときピーと笛が鳴りました。

紺三郎がエヘンエヘンとせきばらいをしながら幕の横から出て来て
丁寧にお辞儀をしました。みんなはしんとなりました。
「今夜は美しい天気です。お月様はまるで真珠のお皿です。お星様は野原の露が
キラキラ固まったようです。さてただ今から幻燈会をやります。みなさんは
瞬きやくしゃみをしないで目をまんまろに開いて見ていて下さい。
それから今夜は大切な二人のお客様がありますから
どなたも静かにしないといけません。決してそっちの方へ
栗の皮を投げたりしてはなりません。開会の辞です。」
みんなよろこんでパチパチ手を叩きました。そして四郎がかん子に
そっと言いました。
「紺三郎さんはうまいんだね。」
笛がピーと鳴りました。

『お酒をのむべからず』大きな字が幕にうつりました。そしてそれが消えて写真がうつりました。一人のお酒に酔った人間のおじいさんが何かおかしな円いものをつかんでいる景色です。

みんなは足ぶみをして歌いました。

キックキックトントンキックキックトントン

凍み雪しんこ、堅雪かんこ、野原のまんじゅうはぽっぽっぽ

酔ってひょろひょろ太右衛門が　去年、三十八食べた。

キックキックキックキックトントントン

写真が消えました。四郎はそっとかん子に言いました。

「あの歌は紺三郎さんのだよ。」

別に写真がうつりました。一人のお酒に酔った若い者がほほの木の葉でこしらえたお椀のようなものに顔をつっ込んで何か食べています。紺三郎が白い袴をはいて向うで見ている景色です。

みんなは足踏みをして歌いました。

キックキックトントン、キックキック、トントン、

凍み雪しんこ、堅雪かんこ、野原のおそばはぽっぽっぽ、

酔ってひょろひょろ清作が　去年十三ばい食べた。

キック、キック、キック、キック、トン、トン、トン。

写真が消えてちょっとやすみになりました。

可愛らしい狐の女の子が黍団子をのせたお皿を二つ持って来ました。

四郎はすっかり弱ってしまいました。なぜってたった今太右衛門と清作との悪いものを知らないで食べたのを見ているのですから。

それに狐の学校生徒がみんなこっちを向いて「食うだろうか。ね。食うだろうか。」なんてひそひそ話し合っているのです。かん子ははずかしくてお皿を手に持ったまままっ赤になってしまいました。

すると四郎が決心して言いました。

「ね。食べよう。お食べよ。僕は紺三郎さんが僕らをだますなんて思わないよ。」

そして二人は黍団子をみんな食べました。

そのおいしいことは頬っぺたも落ちそうです。

狐の学校生徒はもうあんまりよろこんで
みんな踊りあがってしまいました。

キックキックトントン、キックキックトントン。
「ひるはカンカン日のひかり
　よるはツンツン月あかり、
　たとえからだを、さかれても
　狐の生徒はうそ言うな。」
キック、キックトントン、キックキックトントン。
「ひるはカンカン日のひかり
　よるはツンツン月あかり
　たとえこごえて倒れても
　狐の生徒はぬすまない。」
キックキックトントン、キックキックトントン。
「ひるはカンカン日のひかり
　よるはツンツン月あかり
　たとえからだがちぎれても
　狐の生徒はそねまない。」
キックキックトントン、キックキックトントン。
四郎もかん子もあんまり嬉しくて涙がこぼれました。
笛がピーと鳴りました。

『わなを軽べつすべからず』と大きな字がうつりそれが消えて絵がうつりました。
狐のこん兵衛がわなに左足をとられた景色です。

「狐こんこん狐の子、去年狐のこん兵衛が　左の足をわなに入れ、こんこんばたばた　こんこんこん。」
とみんなが歌いました。

四郎がそっとかん子に言いました。
「僕の作った歌だねい。」

絵が消えて『火を軽べつすべからず』という字があらわれました。
それも消えて絵がうつりました。狐のこん助が焼いたお魚を取ろうとしてしっぽに火がついた所です。

狐の生徒がみな叫びました。

「狐こんこん狐の子。去年狐のこん助が　焼いた魚を取ろとしておしりに火がつき　きゃんきゃんきゃん。」

笛がピーと鳴り幕は明るくなって紺三郎が又出て来て言いました。

「みなさん。今晩の幻燈はこれでおしまいです。今夜みなさんは深く心に留めなければならないことがあります。
それは狐のこしらえたものを賢いすこしも酔わない人間のお子さんが食べて下すったということです。
そこでみなさんはこれからも、大人になってもうそをつかず人をそねまず
私共狐の今までの悪い評判をすっかりなくしてしまうだろうと思います。閉会の辞です。」

　狐の生徒はみんな感動して両手をあげたりワーッと立ちあがりました。そしてキラキラ涙をこぼしたのです。

　紺三郎が二人の前に来て、丁寧にお辞儀をして言いました。

「それでは。さようなら。今夜のご恩は決して忘れません。」

　二人もお辞儀をしてうちの方へ帰りました。狐の生徒たちが追いかけて来て
二人のふところやかくしにどんぐりだの栗だの青びかりの石だのを入れて、
「そら、あげますよ。」「そら、取って下さい。」なんて言って風のように逃げ帰って行きます。

　紺三郎は笑って見ていました。

二人は森を出て野原を行きました。
その青白い雪の野原のまん中で三人の黒い影が向うから来るのを見ました。
それは迎いに来た兄さんたちでした。

本書では、原文の旧字・旧かなづかいを新字・新かなづかいにあらため、表記を統一しています。

雪わたり　原作●宮沢賢治　絵●方緒良　デザイン●羽島一希　写植印字●バグ・フリーク　44p　26×25cm
発行者●木村皓一　発行所●三起商行株式会社　〒102-0072　東京都千代田区飯田橋3-9-3 SKプラザ3階　電話03（3511）2561
企画制作●株式会社ミキハウス　編集●株式会社アスク出版　東京都新宿区下宮比町2-6　印刷・製本●凸版印刷株式会社
発行日●初版第1刷　1991年11月20日　第11刷　2011年7月12日　落丁本・乱丁本はお取り替えいたします
 ISBN978-4-89588-111-1 C8793